MINI

Golf
FÜR *DUMMIES*®

A Running Press Miniature Edition™
Copyright © 1996 by IDG Books Worldwide, Inc.
Titel der Originalausgabe: Golf for Dummies
Die Originalausgabe ist erschienen bei
Running Press Book Publishers,
125 South 22nd Street,
Philadelphia, Pennsylvania 19103-4399, USA

Copyright © 2001 für die deutsche Ausgabe:
arsEdition, München
Alle Rechte vorbehalten
Aus dem Amerikanischen von
Annegret Hunke-Wormser

Gestaltung: Bryn Ashburn
Cartoons: Rich Tennant
Redaktion der Originalausgabe: Marc Frey
Redaktion dieser Ausgabe: Bettina Gratzki

Printed in Singapore
ISBN 3-7697-3095-7

MINI

Golf

für DUMMIES®

**Tipps und Tricks
für angehende Golfer**

**Gary McCord
und John Huggan**

arsEdition

Die Symbole in diesem Buch

 Achtung! Dieses Symbol ist ein Warnhinweis. Passen Sie gut auf.

 Dieses Symbol weist auf Informationen hin, wie Sie Ihr Golfspiel verbessern können.

 Nach diesen Informationen wird Ihnen der Kopf schwirren. Nehmen Sie zwei Aspirin und entspannen Sie sich.

 Beachten Sie dies oder ich spreche nie mehr mit Ihnen.

Inhalt

The 5th Wave — By Rich Tennant

»Mein Golflehrer ist außerdem Psychiater. Ich spiele zwar immer noch schlecht, weiß jetzt aber, dass meine Eltern daran schuld sind.«

Einführung

*G*olf ist ein einfaches Spiel. Sie nehmen einen Satz Golfschläger und einen Ball: Nun müssen Sie den Ball mit den Schlägern in eine Reihe von Löchern schlagen, die in die Mitte einer großen Rasenfläche gebuddelt wurden. Nachdem Sie das 18. Loch gespielt haben, möchten Sie vielleicht an die Bar gehen und jedem, mit dem Sie an diesem Tag nicht gespielt haben, erzählen, wie fantastisch Sie heute auf dem Platz waren.

Natürlich sind da auch ein paar Hindernisse zu überwinden. Winston Churchill hat Golf ein Spiel genannt, »bei dem man einen winzigen Ball in ein winziges Loch schlagen muss, und das mit Geräten, die für diesen Zweck denkbar ungeeignet sind« – einfach geradeaus geht es eben nicht

immer. Sicher ist auch, dass
Sie am Anfang Fehler machen
werden. Wie wir alle. Dass
dies gewöhnlich immer die
gleichen Fehler sind, wird
sich vermutlich auch in
Zukunft nicht ändern.

Sie halten ein informatives
und gleichwohl amüsantes
Golfbuch in den Händen, das
Ihnen einen Einblick in dieses
faszinierende Spiel gestattet
und Ihnen auf dem Golfplatz
von Nutzen sein wird.

»Der Schwung war ganz gut, du bewegst aber immer noch den Kopf.«

Kapitel 1

....

Der Start

Das Beste am Golfspielen

Die Ruhe genießen

Der Golfplatz bietet Schutz vor all den Leuten, die Sie »unbedingt« sprechen müssen. Hier können Sie sich entspannen und die Stille genießen!

Mit den Bäumen reden

Ganz allein Golf zu spielen garantiert die beste Entspannung. Nehmen Sie Ihr Golfbag,

gehen Sie allein auf die Runde
und unterhalten Sie sich mit
Nagetieren und Würmern.

Tolle Kleidung!

Nur auf dem Golfplatz können
Sie Ihr buntes Hawaiihemd
(allerdings mit Kragen!) zu
karierten Bermuda-Shorts,
schwarzen Kniestrümpfen und
Turnschuhen mit Spikes tragen. Unter Ihresgleichen fällt
solch eine mutige Kombina-
tion wahrscheinlich nicht auf.

Ein kühles Bier nach 18 Löchern

Bei welcher anderen Sportart kann man schon in den Morgenstunden dem Anblick einer herrlichen Flugbahn ein kühles Bier im Clubhaus folgen lassen?

Golf-Carts

Sie rasen mit diesen kleinen Wagen durch die Landschaft. Die Hügel rauf, die Hügel runter, so schnell Sie wollen – aber immer platzschonend!

Ungleichmäßige Bräune

Nach dem Golfspiel können Sie die großartigste Bräunung vorweisen. Sie werden aussehen wie ein Schwarzweiß-Stillleben.

Versteckspiel

Wo, wenn nicht auf dem Golfplatz, kann man den lieben langen Tag nach derselben Sache suchen? Kaum hat man sie gefunden, schlägt man sie erneut in unendliche Weiten und geht wieder auf die Suche.

Golf buchstabiert sich leicht
Jetzt reichts aber!

Die Ziele des Spiels

Einfach ausgedrückt: Beim Golf müssen Sie mit einem von maximal vierzehn Schlägern den Ball mit so wenig Schlägen wie möglich nacheinander in jedes der 18 Löcher schlagen. Abschließend zählen Sie die Einzelergebnisse zusammen, um den Gesamtscore zu ermitteln.

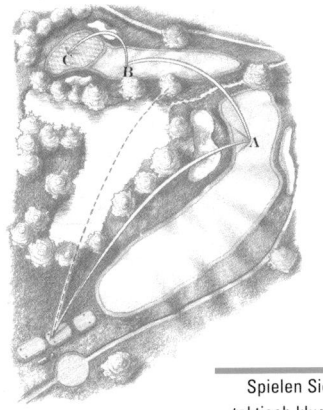

Spielen Sie
taktisch klug.

Der ist gewöhnlich so hoch, dass auch ein Großrechner Schwierigkeiten hätte, ihn zu ermitteln. Je niedriger Ihr Score, desto besser Ihr Spiel. Das ist Golf. Das ist das Ziel.

Die meisten Punkte werden in einem Umkreis von 100 Metern vom Loch erzielt. Gegenüber einem Spieler, dessen einziges Ziel darin liegt, den Ball so weit wie möglich zu schlagen, können Sie hier Schläge sparen und Punkte sammeln: Üben Sie das Putten, das Bunkerspiel und die kurzen Schläge doppelt so oft wie den Drive. Ihre harte Arbeit wird sich auszahlen und Ihre Freunde werden diejenigen sein, die zahlen müssen.

Ausrüstung

Golfbälle
Es gibt drei Arten von Golfbällen: one-piece,

two-piece und three-piece. One-Piece-Bälle sind in der Regel billig gemacht und meistens nur auf Übungsplätzen zu finden. Also bleiben die Two-Piece- und Three-Piece-Bälle übrig. Wählen Sie einen Two-Piece-Ball.

Schläger

 Die meisten Übungsplätze bieten einen Mietservice an, den Sie als Anfänger nutzen sollten.

Wenn Sie bei diesem Sport bleiben möchten, kaufen Sie sich später Ihre eigenen Schläger.

Dabei empfiehlt es sich, zunächst nach preiswerten Exemplaren Ausschau zu halten, die man als Übergangssatz für die erste Zeit benutzen kann. Denn wenn man das Spiel noch nicht so gut beherrscht, fällt die Entscheidung schwer, welche Art von Schlägern man kaufen soll.

TIPP

Beim Kauf von Golfschlägern sollten Sie folgende Punkte beachten:

✓ **Der Griff:** Die Dicke des Schlägers ist für Sie genau richtig, wenn beim Greifen der Mittel- und der Ringfinger der linken Hand gerade eben den Ansatz des Daumenballens berühren.

✓ **Der Schaft:** Ihre Größe, Ihre Stärke und Ihr Körper-

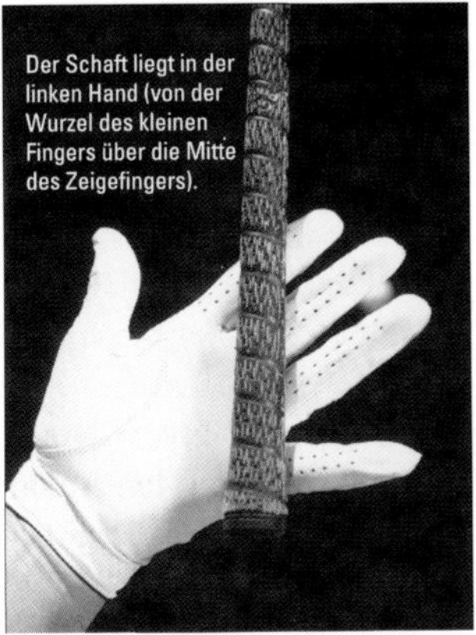

Der Schaft liegt in der linken Hand (von der Wurzel des kleinen Fingers über die Mitte des Zeigefingers).

Der Griff

bau spielen eine wichtige Rolle bei der Wahl eines Schlägers. Wenn Sie sehr groß sind, brauchen Sie längere (und wahrscheinlich steifere) Schäfte.

✔ **Der Schwung:** Erzeugt Ihr Schwung ein lautes Geräusch und biegt sich der Schaft am Ende des Rückschwungs wie die lange Rute einer Angel, benötigen Sie einen sehr starken Schaft (extra stiff). Erzeugt

Ihr Schwung keinerlei Geräusch und könnte man im Rückschwung Wäsche daran aufhängen, brauchen Sie einen normalen Schaft (regular). Alle, die dazwischenliegen, nehmen einen medium-stiff- oder stiff-Schaft.

✔**Loft:** Macht der Ball im Flug eine starke Rechtskurve (Slice), helfen vielleicht Schläger mit geringerem Neigungswinkel der

Schlagfläche oder mit Offset-Schlägerköpfen.

✔ **Der Schlägerkopf:** Es gibt Schläger mit Standard-, Midsize- und Oversize-Schlägerköpfen. Ich empfehle Ihnen, sich am Anfang für einen größeren Kopf zu entscheiden, weil diese auf Fehler nicht übermäßig empfindlich reagieren.

✔ **Das Eisen**: Geschmiedete Eisen, die auf der Rückseite verstärkt sind (muscle back), eignen sich für gute Spieler, die den Ball genau in der Mitte der Schlagfläche treffen. Schläger mit Cavity-back-Design (die Rückseite des Schlägers ist größtenteils hohl) sind für Spieler gemacht, die den Ball auf der gesamten Schlagfläche treffen.

Schlägerblatt: Je größer das Schlägerblatt, desto mehr Fehler sind möglich –

das gilt vor allem für Metallhölzer mit größeren Köpfen, die allgemein sehr beliebt sind. Haben Sie endlich einen vollständigen Satz Schläger gefunden, der genau dem Temperament Ihres Schwunges entspricht, sollten Sie ihm treu bleiben.

Kleidung

Geben Sie nicht mehr Geld für Ihre Golf-Kleidung aus, als Sie sich leisten können. Meine Grundregel lautet, sich etwas besser zu kleiden als der Starter auf dem Platz. (Der Starter ist für die Regelung der Abschlagzeiten verantwortlich.) Seine Kleidung spiegelt in der Regel den auf dem jeweiligen Golfplatz üblichen Standard wider.

Die Kleidung sollte vor allem bequem sein und einem gut stehen.

Zubehör

Die besten Golf-
taschen enthalten
nur das Nötigste:

- Sechs Bälle (circa)
- Einige Tees (aus Holz)
- Eine Wasserflasche
- Handschuhe
- Regenschutz
- Eine Pitchgabel
- Ballmarker oder Münzen
  zum Markieren
- Zwei oder drei Stifte
- Eine kleine (Leder-)Tasche

Typische
Golftasche

für Geldbeutel, Geldklammer, Kleingeld, Autoschlüssel, Ringe, Kamm und so weiter.

Am Henkel Ihrer Tasche sollte außerdem ein großes Handtuch hängen, mit dem Sie die Schlägerköpfe abtrocknen und säubern können. Bewahren Sie ein Ersatzhandtuch in Ihrer Tasche auf. Man hat nie zu viele Handtücher, wenn es regnet.

Wo man spielt

Es gibt drei Möglichkeiten, Golf zu spielen: auf öffentlichen Plätzen, in Privatclubs und auf Resort-Plätzen. Auf einigen Plätzen, den Neun-Loch-Kurzplätzen, gibt es nur eine Runde mit neun Löchern, andere verfügen über sechs 18-Loch-Plätze. Man kann auch auf Übungsplätzen (Driving Ranges) Bälle schlagen. Vorzugsweise sollten Sie dort beginnen.

Welcher Golftyp sind Sie?

Es gibt vier Typen:

- Die Analytiker sind gut organisiert. Man erkennt im Büro auf Anhieb ihren Schreibtisch – den ordentlichsten natürlich.
- Die Driver, wie nicht anders zu erwarten, arbeiten gern. Sie tun alles, um ihr Ziel zu erreichen.

- Mit den Freundlichen ist man gern zusammen. Sie nehmen jeden Ratschlag an, ohne allzu viele Fragen zu stellen.
- Die ausdrucksstarken Charaktere finden sich überall zurecht. Sie passen sich jeder Umgebung an.

»Ich hatte einen Birdie an Loch 5, 6 und 10. Leider habe ich dort aber die Löcher 3, 7 und 12 gespielt.«

Kapitel 2

....

Verschiedene Schläge

Warum Golf das schwerste Spiel der Welt ist

Meiner Meinung nach gibt es dafür zwei Gründe:

- Der Ball bewegt sich nicht von allein.
- Zwischen den einzelnen Schlägen liegen im Durchschnitt drei Minuten.

Anders ausgedrückt: Man reagiert nicht auf den Ball wie in anderen Sportarten. Ein Golfball liegt einfach da, und

Sie stehen vor der Aufgabe, ihn nicht zu verfehlen. Beim Golf hat man viel zu viel Zeit für die Überlegung, was man als Nächstes tun wird. Denken stranguliert die Seele und lähmt den Geist.

Dieses Spiel wäre sehr viel einfacher, wenn der Ball ein wenig rollen würde und Sie Inline-Skates an den Füßen hätten.

Was ist ein Schwung?

Für die meisten von uns bedeutet ein Golfschwung, dass sich verschiedene Körperteile unabhängig voneinander auf eine unwürdige Art und Weise bewegen.

Oder anders ausgedrückt: Ein Golfschwung ist eine (hoffentlich) koordinierte, ausbalancierte Bewegung des ganzen Körpers um einen festen Drehpunkt. Bei korrekter

Ausführung wird der Schläger
nach oben, herum und dann
wieder nach unten geschwungen, um dem Ball so präzise
wie möglich (genau mit der
Mitte der Schlägerfläche)
einen Schlag zu versetzen.

 Der Fixpunkt bei Ihrem Schwung sollte in
der Mitte der Brust,
etwa 8 Zentimeter unterhalb
der Schlüsselbeine liegen.
Stimmt Ihr Drehpunkt, führt
Ihr Kopf eine leichte Drehbe-

wegung aus, während Sie sich
beim Schlagen nach hinten
und dann wieder nach vorn
drehen. Wenn Ihr Kopf sich
so bewegt wie bei Linda Blair
in »Der Exorzist«, haben Sie
etwas falsch gemacht.

Das Wichtigste ist, dass
Sie die Balance halten. Sie
können den Ball nicht richtig
treffen, wenn Sie an irgend-
einem Punkt Ihres Schwungs
aus dem Gleichgewicht
geraten.

Ihr Fixpunkt liegt
in der Brustmitte,
etwa 8 cm unter-
halb der Schlüs-
selbeine.

Drehen Sie sich und schwingen
Sie um Ihren Fixpunkt.

Der gute Schwung

- ✔ Erstens: Sie wollen den Ball treffen.
- ✔ Zweitens: Sie wollen, dass er in die Luft und vorwärts fliegt.
- ✔ Drittens: Sie wollen ihn möglichst weit schlagen.
- ✔ Viertens: Sie wollen ihn möglichst weit schlagen, während Freunde zusehen.
- ✔ Und zu guter Letzt: Golf spielen macht süchtig.

Jeder Golfspieler möchte seinen Schwung immer mehr perfektionieren. Alles in allem ist er nichts weiter als eine Abfolge kleiner Einzelbewegungen, die man Stück für Stück trainiert und die sich dann zu einer harmonischen Gesamtbewegung ergänzen.

Putten

Bei jedem Putt gibt es nur zwei Möglichkeiten: Entweder Sie

treffen oder Sie verpassen das Loch. Haben Sie das einmal akzeptiert, werden die Bälle, die reingehen »sollten«, Sie nicht länger im Schlaf verfolgen.

Wenn es etwas an diesem ohnehin häufig aggressiven Spiel gibt, das Sie noch wütender macht, dann ist es das Putten. Es sieht vielleicht einfach aus – manchmal ist es das auch –, aber es gibt Tage, an denen wissen Sie einfach, dass der kleine Ball es auf gar keinen Fall ins Loch schaffen wird. Sie wissen es, Ihre Mitspieler wissen es, Ihr Anlageberater weiß es, jeder weiß es. Putten hat etwas Mystisches, es kommt und geht wie Ebbe und Flut.

Reduzieren wir das Putten auf seine einfachsten Bestandteile. Das Loch. Den Ball. Der Ball passt in das Loch. Jetzt schlagen Sie den Ball mit so wenig Schlägen wie möglich in das Loch.

Chippen und Pitchen

Ein Chip ist ein kurzer Schlag, bei dem der Ball flach über dem Boden fliegt. Ein Pitch hingegen ist in der Regel ein längerer Schlag, bei dem der Ball hoch durch die Luft fliegt.

Chips spielt man mit allen Schlägern vom Sand-Wedge bis zum Eisen 5. Die Grundidee liegt darin, den Ball so schnell wie möglich über das Grün rollen zu lassen.

Pitch-Schläge, die man ausschließlich mit dem Wedge oder Eisen 9 spielt, sind gewöhnlich länger als Chips. Obwohl Pitch-Schläge höher fliegen als Chips, sollte der Ball so bald wie möglich den Boden berühren. Wählen Sie einen Landebereich und lassen Sie den Ball dann rollen.

Mit der Zeit werden Sie verstehen, wie man die verschiedenen Schläge ausführt. Behalten Sie Ihren Sinn für Humor und den Schläger weiterhin fest in der Hand.

 Da es beim Golf in erster Linie darum geht, aus Fehlern zu lernen, werden Sie zumindest einige Male auf jeder Runde mit Schwierigkeiten zu kämpfen haben. Je nachdem, wie gut Sie diese meistern, wird Ihr Score ausfallen. Vergessen Sie nie, dass es auch auf den besten Runden kritische Augenblicke gibt. Bleiben Sie ruhig –

auch wenn Sie am liebsten in
die Luft gehen würden.

Aufwärmen

Gehen Sie zum Drivingrange
(Übungsplatz). Lockern Sie
sich zuerst mit ein paar Übun-
gen auf. Starten Sie dann mit
dem Sand-Wedge. Konzentrie-
ren Sie sich darauf, den Ball
genau zu treffen. Nichts anderes. Schlagen Sie ungefähr
20 Bälle, ohne sich darum zu

kümmern, wohin sie fliegen. Achten Sie auf einen lockeren Schwung. Gehen Sie jetzt zu den Mid-irons (Eisen 7, 8 oder 9) über. Schlagen Sie wieder ungefähr 20 Bälle.

Dann folgt der »Big Stick« (Holz 1) bzw. das Holz, mit dem Sie abschlagen wollen. Ich empfehle Ihnen, nicht mehr als ein Dutzend Drives zu schlagen. Mit diesem Schläger fliegt der Ball sehr schnell über sein Ziel hinaus. Denken Sie daran:

Aufwärmtraining

Sie sind noch beim Aufwärmtraining.

Bevor Sie den Übungsplatz verlassen, schlagen Sie noch einige Bälle mit dem Wedge. Sie wollen mit diesem Schläger keine Weite, sondern einen lockeren Schwung erreichen.

Zum Schluss sollten Sie etwa zehn Minuten auf dem Puttinggrün verbringen. Sie müssen ein Gefühl für die Geschwindigkeit auf dem Grün bekommen, bevor Sie anfangen.

Beginnen Sie mit 60 bis 90 Zentimeter langen Aufwärtsputts. So stärken Sie Ihr Selbstvertrauen und gehen dann zu sechs bis neun Meter langen Putts über. Danach üben Sie das Putten zum gegenüberliegenden Ende des Grüns, um ein Gefühl für die Geschwindigkeit zu bekommen. Richten Sie Ihr Augenmerk mehr auf die Geschwindigkeit als auf die Richtung. Jetzt können Sie loslegen!

Kapitel 3

Das Spiel

Die Einstellung zählt

Golf wird in einer feindlichen Umgebung mit einer für die zu bewältigende Aufgabe völlig unzureichenden Ausrüstung gespielt. Sie müssen Ihre gesamte Person ins Spiel bringen, um den Widrigkeiten zu trotzen. Erfolg und Misserfolg gehen auf der Runde Hand in Hand, und Ihre Freude am Spiel hängt davon ab, wie

Sie damit umgehen. Golf narrt Sie mit wunderbaren Momenten perfekter Schläge und dann, im nächsten Augenblick, ereilt Sie eine Niederlage. Verbuchen Sie diese auf dem Erfahrungskonto.

Auf die Plätze, fertig ...

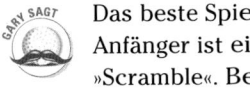 Das beste Spiel für Anfänger ist ein »Scramble«. Bei dieser Spielform bilden gewöhnlich

vier Spieler ein Team. Jeder schlägt ab. Dort, wo der Ball des besten Schlags landet, ist der nächste Ausgangspunkt und so weiter. Beim Scramble ist der Druck nicht so groß, jeden Ball gut schlagen zu müssen.

Sie können sich ein wenig auf Ihre Mitspieler verlassen. Außerdem kann man so bessere Spieler aus der Nähe beobachten. Beim Scramble wird gewöhnlich laut geredet, angefeuert und gejubelt. Kurz: Es ist ausgesprochen gesellig und lustig.

Beim »Stableford« werden nicht die Schläge, sondern die Punkte gezählt. Sie bekommen an jedem Loch einen Punkt für ein Bogey (ein Schlag über Par); zwei Punkte für ein Par; drei für ein Birdie (eins unter Par); und vier Punkte für einen Eagle (zwei unter Par). Folglich kann man auf einer Runde, auf der jedes Loch Par gespielt

Typischer Vierer

wird, 36 Punkte sammeln. Gut am Stableford-System ist, dass nicht jedes Loch zu Ende ge-

spielt werden muss. Sie bekommen lediglich keine Punkte für die Löcher, an denen
man mehr als ein Bogey ge-
braucht hat (natürlich werden
Ihre jeweiligen Vorgabeschläge
mitgezählt).

Meistens geht man mit drei
Mitspielern auf die Runde und
entscheidet sich für einen
»Vierer«. Sie teilen sich in zwei
Zweiergruppen auf und spielen den so genannten »Bestball«. Das bedeutet, dass pro

Loch und Team immer das
beste Ergebnis zählt. Wenn wir
z. B. Partner wären und Sie
eine Fünf am ersten Loch spielen, ich aber eine Vier, zählt
für unser Team die Vier am
ersten Loch.

Wenn Sie der schwächste Spieler sind

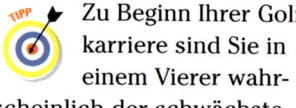 Zu Beginn Ihrer Golf-
karriere sind Sie in
einem Vierer wahr-
scheinlich der schwächste

Spieler. So stehen Sie diese grauenvolle Erfahrung tapfer durch:

1. Den Ball aufnehmen

Verzögern Sie auf keinen Fall das Spiel. Nachdem Sie den Ball z. B. zehnmal auf ein Loch geschlagen haben, heben Sie ihn auf und verzichten aus Höflichkeit gegenüber den Mitspielern darauf, das Loch zu beenden. In der Lernphase sind Punkte nicht so wichtig.

2. Den Ball selbst suchen

Wenn Sie einen Ball ins Rough geschlagen haben, sollten Sie den Ball allein suchen und die anderen weiterspielen lassen. Diese werden erleichtert sein und Sie für einen Spieler halten, mit dem man, obwohl er heute einen schlechten Tag hat, wieder einmal spielen könnte. (Falls Sie den Ball nicht schnell wiederfinden, erklären Sie ihn für verloren.)

3. Jammern hilft nicht

Die meisten Golfer vergeuden maßlos viel Zeit mit Klagen (»Weißt du, wenn ...«). Das macht einen schlechten Eindruck und langweilt die anderen Spieler.

4. Keine Schwunganalysen

Sie hatten ein paar schlechte Schläge – oder besser gesagt: mehr als ein paar – und überlegen, was Sie falsch machen. Diese Kommentare möchte aber niemand hören.

Die anderen wollen keine Zeit damit verschwenden, sich um Ihr Spiel zu kümmern. Wenn Ihnen jemand von sich aus einen Tipp gibt, probieren Sie es kommentarlos aus.

Positiv denken

Egal, was auf dem Platz schief läuft, es ist niemals – ich wiederhole: niemals – Ihr Fehler. Sie müssen immer etwas anderes für das Missgeschick verantwortlich machen. Seien Sie kreativ im Erfinden von Ent- schuldigungen!

Zehn Ausreden für einen schlechten Schlag:

1. Ich war zu verspannt.
2. Ich schaute nach oben.
3. Ich hatte gerade eine Trainingsstunde.
4. Der Schläger ist geliehen.
5. Die neuen Schuhe drücken.

6. Der neue Handschuh passt nicht.

7. Der Ball lag nicht richtig.

8. Der Schläger ist mir weggerutscht.

9. Es ist zu warm.

10. Die Sonne blendete.

Wenn Sie nicht der schwächste Spieler sind

 Wie verhalten Sie sich, wenn ein anderer Spieler Ihrer Gruppe den Ball nicht über Schien-

beinhöhe hinaus schlagen kann? Hier einige Tipps:

✔ Sagen Sie nichts, auch wenn das Spiel des anderen immer mehr den Bach runtergeht. Ihr Mitspieler wird sich nur über Sie ärgern. Geben Sie auch niemals Ratschläge oder Schwungtipps. Man wird Sie dann nämlich für den nächsten schlechten Schlag verantwortlich machen.

Das Letzte, worüber Sie sich unterhalten sollten, ist das grauenvolle Spiel Ihres Mitspielers. Suchen Sie lieber ein anderes Gesprächsthema. Es kommt so gut wie alles infrage, nur nicht der Ball, den Ihr Freund gerade nur 20 Meter weit geschlagen hat.

Zehn feinfühlige Kommentare:

Wenn Sie unbedingt etwas sagen müssen, nachdem Ihr Partner/Gegner einen schlechten Schlag gemacht hat, versuchen Sie es damit:

1. Wenigstens bist du besser gekleidet.
2. Ohne Höhe kein Treffer.
3. Auf der Back nine wirst du es besser machen.
4. Zum Glück spielen wir nicht um viel Geld.

5. Trotzdem ist heute ein schöner Tag.
6. Ich spiele am Wochenende auch immer schlecht.
7. Spielt deine Frau auch?
8. Mit diesem Schlag habe ich auch immer Probleme.
9. Du hättest dich besser aufwärmen sollen.
10. Gar nicht einfach zu schlagen, wenn es so kalt ist.

Denken Sie positiv.

Ungeeignete Partner

Man sollte nicht mit Leuten spielen, die ein »anderes Spiel« spielen. Dazu zählt jeder, der an einem durchschnittlichen Tag mindestens 20 Schläge weniger benötigt als Sie. Sie werden am Ende des Spiels lediglich deprimiert sein. Halten Sie sich fern – zumindest jetzt noch.

Wählen Sie lieber Partner, die ein klein wenig besser spielen als Sie. Profitieren Sie

von deren Erfahrungen, und
setzen Sie sich ein vernünfti-
ges Ziel für Ihr eigenes Spiel.

Zehn zeitlose Tipps

1. Verwenden Sie für jeden
   Schlag den richtigen Schläger.
2. Putten Sie, sobald es geht.
3. Halten Sie Ihren Kopf
   möglichst ruhig.
4. Verlieren Sie nicht den
   Humor.

Legen Sie das Kinn nicht auf die Brust!

Verlieren Sie trotzdem den Ball nicht aus den Augen!

Blicken Sie auf den Ball.

5. Verwetten Sie nicht mehr, als Sie sich leisten können.

6. Bei Wind sollten Sie den Ball flach schlagen.

7. Nehmen Sie einige Trainingsstunden.

8. Geben Sie niemals Ihrer Frau Unterrichtsstunden.

9. Teen Sie den Ball immer am Abschlag auf.

10. Geben Sie sich für einen schlechten Schlag nie die Schuld.

The 5th Wave
By Rich Tennant

»Trude, du willst mich doch wohl nicht im Club mit diesem Hut blamieren?!«

Kapitel 4

···························

Regeln und Etikette

Das Regelbuch

Sie werden wahrscheinlich nie alle Regeln en détail beherrschen. Machen Sie sich aber zumindest mit den wichtigsten vertraut:

- ✓ Spielen Sie den Platz, wie Sie ihn vorfinden.
- ✓ Spielen Sie den Ball, wie er liegt.
- ✓ Ist beides nicht möglich, handeln Sie fair.

Zehn Regeln, die Sie kennen müssen:

Regel 1: Sie müssen den Ball, den Sie abgeschlagen haben, auch ins Loch schlagen. Man darf ihn nur auswechseln, wenn die Regeln es erlauben.

Regel 3-2: Sie müssen an jedem Loch einlochen. Ansonsten erzielen Sie keinen Score und werden disqualifiziert.

Regel 6-5: Sie müssen mit Ihrem eigenen Ball spielen.

Markieren Sie ihn deshalb.

Regel 13: Sie müssen den Ball so spielen, wie er liegt.

Regel 13-4: Liegt Ihr Ball in einem Hindernis (Bunker oder Wasserhindernis), dürfen Sie den Boden oder das Wasser des Hindernisses erst mit Ihrem Schläger berühren, wenn Sie den Ball schlagen.

Regel 16: Sie dürfen die Puttlinie vor Ihrem Schlag nicht ausbessern, indem Sie die Spike-Löcher glätten.

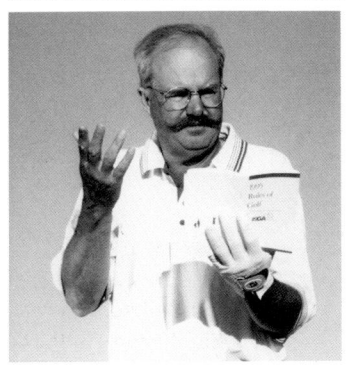

Manchmal können Golfregeln
ganz schön kompliziert sein.

Regel 24: Hemmnisse sind immer künstlich errichtet. Einige sind beweglich und können entfernt werden; einige sind es nicht, dann muss der Ball innerhalb einer Schlägerlänge vom nächsten Punkt der Erleichterung fallen gelassen werden – kein Strafschlag.

Regel 26: Geht Ihr Ball in einem Wasserhindernis verloren, dürfen Sie einen neuen Ball dahinter droppen; der Punkt muss auf der Linie liegen, auf der der Ball das Hindernis zuletzt zwischen Ihnen und dem Loch überflogen hat – ein Strafschlag.

Regel 27: Verlieren Sie Ihren Ball woanders als in einem Hindernis, gehen Sie zur Stelle zurück, an der Sie Ihren vorherigen Schlag ausgeführt haben, und schlagen einen neuen Ball – ein Strafschlag.

Regel 28: Ist Ihr Ball unspielbar, haben Sie drei Möglichkeiten:

• Starten Sie von dem Punkt aus, wo Sie den letzten Schlag ausgeführt haben.

• Droppen Sie einen Ball innerhalb zweier Schlägerlängen von dem Punkt aus, wo Ihr Ball jetzt liegt.

• Droppen Sie einen Ball auf der Linie zwischen Ihnen und dem Loch, auf der Ihr Ball liegt. Sie können so weit zurückgehen, wie Sie möchten.

In allen drei Fällen erhalten Sie einen Strafschlag.

Etikette

Golf ist ein Spiel, in dem Fairness absoluten Vorrang hat. Da man leicht schummeln kann, sollte ehrliches Verhalten Ehrensache sein.

 Beim Golf gibt es halboffizielle »Gebote« der Höflichkeit, von denen erwartet wird, dass jeder Spieler sie befolgt. Dies sind die wichtigsten Regeln, die Sie kennen sollten:

✔ **Schweigen Sie, während andere an der Reihe sind.** Räumen Sie Ihren Mitspielern die nötige Zeit und Ruhe ein, die Situation einzuschätzen, Übungsschwünge auszuführen und ihren endgültigen Schlag zu machen. Stellen Sie sich weder zu sehr in ihre Nähe noch in die Nähe des Lochs, und laufen Sie nicht zwischen dem Ball Ihres Partners und

dem Loch auf und ab.
Denken Sie auch an Ihren
Schatten. Die Puttlinie –
der Weg des Balls zum
Loch – ist heilig. Das Wichtigste ist, immer zu wissen,
wo Ihre Mitspieler und deren Golfbälle gerade sind,
und der Situation entsprechend zu handeln. Wenn
Sie Zweifel haben, bleiben
Sie einfach stehen.

Treffen Sie Ihre Entscheidungen, während Sie zu

Ihrem Ball gehen oder ein Mitspieler seinen Schlag ausführt. Wenn Sie dann an der Reihe sind zu schlagen, tun Sie dies ohne unnötige Verzögerung. Sie müssen sich nicht beeilen, aber bleiben Sie am Ball.

✔ **Die Ehre (der erste Abschlag an einem Loch) hat der Spieler, der am vorhergehenden Loch das beste Ergebnis erzielt hat.** Hatten zwei Spieler dasselbe Ergebnis, erhält der Spieler die Ehre, der wiederum am Loch davor das beste Ergebnis hatte. Mit anderen Worten: Sie behalten die Ehre, bis Sie sie verlieren.

Achten Sie darauf, dass jeder Mitspieler während des Schlags hinter Ihnen steht, denn Sie werden nicht jeden Ball dorthin schlagen können, wo Sie ihn haben möchten.

Warten Sie, bis Ihre Mitspieler aus der Spiellinie sind. Dasselbe gilt für die Gruppe vor Ihnen. Auch wenn Sie den besten Schlag Ihres Lebens machen müssten, um sie zu erreichen: Warten Sie. Rechtsanwälte lieben Golfer, die diese Faustregel nicht beachten.

✔**Achten Sie auf die Gruppe hinter Ihnen.** Muss sie bei jedem Schlag auf Sie warten? Wenn dies der Fall ist, treten Sie zur Seite und fordern die Gruppe hinter Ihnen auf, zuerst zu spielen. Das hat nichts mit Ihrer Fähigkeit als Golfer zu tun. Es bedeutet lediglich, dass die Gruppe hinter Ihnen schneller spielt als Sie. Die beste Stelle, eine andere Gruppe vorzulassen, ist ein Par 3 (das kürzeste Loch und deshalb der schnellste

Durchgang). Nachdem Sie Ihren Ball auf das Grün geschlagen haben, markieren Sie die Stelle und winken der nachfolgenden Gruppe zu, dass sie spielen kann. Stellen Sie sich neben das Grün, während die andere Gruppe abschlägt. Nachdem alle Spieler geschlagen haben, legen Sie ihren Ball zurück und putten das Loch zu Ende.

Ein gut besuchter Golf-platz wird im Laufe eines Tages ziemlich strapaziert. Man denke nur an all die Bälle, die auf dem Grün aufschlagen, die Spieler, die durch die Bunker laufen oder die Divots, die durch die Luft fliegen. Tragen Sie Ihren Teil dazu bei, dass der Golfplatz gepflegt bleibt. Glätten Sie Pitchmarken, wenn Sie welche sehen.

Wenn ein Ball auf weichem Grün landet, hinterlässt er oft eine kleine Delle. Heben Sie den hinteren Rand des Lochs leicht an ...

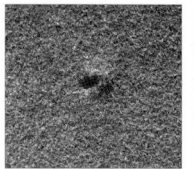 

... und glätten Sie es.

Pflegen Sie
das Grün.

Dafür nimmt man Tees oder Pitchgabeln. Außerdem sollten Sie sämtliche Fußabdrücke in Bunkern glätten (aber erst, nachdem Sie den Ball herausgeschlagen haben). Legen Sie alle Divots, die Sie auf den Fairways und an den Abschlägen finden, wieder an Ort und Stelle zurück.

✔**Parken Sie das Golf-Cart in sicherer Entfernung von Grüns, Abschlägen**

und Bunkern (oder laufen Sie lieber). Um das Spiel zu beschleunigen, sollten Sie auf der Seite des Grüns parken, die dem nächsten Abschlag am nächsten ist. Dasselbe gilt für Ihr Golfbag. Stellen Sie Ihre Tasche nicht in der Nähe der oben aufgeführten Orte ab, sondern irgendwo auf dem Weg zum nächsten Abschlag.

Glätten Sie immer Ihre Fußspuren, wenn Sie einen Bunker verlassen. Ich habe hier eine übersehen.

Benutzen Sie den Rechen.

✔ **Verlassen Sie das Grün, sobald jeder Spieler mit dem Putten fertig ist.** Die folgende Situation kann einen zum Wahnsinn treiben, wenn man sie des Öfteren erlebt: Sie sind für Ihren Annäherungsschlag auf das Grün bereit und die Spieler vor Ihnen rennen noch um das Loch herum und füllen Ihre Scorekarten aus. Das ist aus zwei Gründen schlech-

ter Stil. Zum einen wird so
das Spiel verzögert, und
das ist immer schlecht.
Zum anderen gibt es
nichts, was die Platzarbei-
ter weniger mögen als
eine Menge Fußabdrücke
um das Loch herum.
Füllen Sie Ihre Karte auf
dem Weg zum nächsten
Abschlag aus.

The 5th Wave
By Rich Tennant
©RICHTENNANT
Pythagoräisches Golf
√16!

Kapitel 5

. . . .

Golfersprache

Hört man nur fünf Minuten lang einem Gespräch in einem Golfclub irgendwo auf der Welt zu, weiß man, dass dieser Sport eine völlig eigene Sprache hat. Im Folgenden werden nun einige Redewendungen, Fachtermini und Ausdrücke erklärt, damit Sie als echter Golfer beim 19. Loch (die Bar im Anschluss an eine Runde) mithalten können.

A

Ass: Ein Hole-in-One. Geben Sie an der Bar eine Runde aus.

Aufteen: Das Spiel beginnen

B

Back nine: Die zweiten neun Löcher einer Golfrunde

Backspin: Der Ball kommt auf dem Grün auf und rollt in Richtung Spieler zurück.

Ballangel: Langer Stab mit kleinem Korb am Ende, mit

dem der Ball aus Hindernissen gefischt wird

Ballmarker: Kleiner runder Gegenstand zum Markieren der Ballposition auf dem Grün

Besserlegen: Den Ball anders hinlegen, um den Schlag zu erleichtern. Das ist nicht erlaubt.

Bestball: Spiel für vier Spieler; mit zwei Spielern pro Team. Das niedrigere Ergebnis der Teamspieler pro Loch zählt.

Birdie: Score von einem
Schlag unter Par an einem
Loch

Blind shot: Schlag, bei dem
man nicht sieht, wo der Ball
landet

Bogey: Ein Loch mit einem
Schlag mehr als Par spielen.

Bunker: Ein mit Sand gefülltes
Hindernis

C

Caddie: Die Person, die Ihre
Schläger auf der Runde trägt

und die Sie feuern, wenn Sie schlecht spielen

Carry: Die Distanz zwischen Start- und Landepunkt des Balls

Cart: Motorisiertes Fahrzeug, mit dem sich faule Golfspieler über den Platz bewegen

Center shafted: Putter, bei dem der Schaft in der Mitte des Kopfes befestigt ist

Chip: Sehr kurzer Schlag, der Ball fliegt flach zum Grün.

Chip-in: Ein eingelochtes Chip

Clubhaus: Das Hauptgebäude eines Golfclubs

Course Rating: Der Schwierigkeitsgrad eines Golfplatzes.

Cut: Score, der eine bestimmte Gruppe von Spielern für den Rest eines Turniers ausschließt. In der Regel nach 36 Löchern, wenn 72 Löcher gespielt werden

D

Divot: Ein Grasstück, das während des Schlages aus dem

Rasen geschlagen wird (zurücklegen nicht vergessen!)
Dogleg: Ein Loch, bei dem der Fairway einen Knick nach links oder rechts macht
Doppelbogey: Ergebnis mit zwei Schlägen über Par an einem Loch.
Driving Range: Dort schlägt man Übungsbälle.
Droppen: Der Golfball wird wieder ins Spiel gebracht, nachdem er für unspielbar erklärt wurde.

E

Eagle: Zwei Schläge unter Par an einem Loch

Ehre: Wenn Sie den besten Score am vorausgegangenen Loch erreicht haben, dürfen Sie beim nächsten Loch zuerst abschlagen.

F

Fade: Schlag, bei dem der Ball eine Rechtskurve macht

Fairway: Die Spielbahn zwischen Abschlag und Grün

Flaggenstock: Diese Fahnenstange zeigt an, wo sich das Loch befindet.

Flex: Die Biegsamkeit des Schaftes

Fore!: Ruft man einem anderen Spieler zu, wenn der Ball in seine Richtung fliegt.

Front nine: Die erste Hälfte der Golfrunde

G

Gimpel: Gegner, der leicht zu schlagen sein sollte

Gobble: Ein Putt, der unerwartet ins Loch geht

Golfwitwe/-witwer: Ihre bessere Hälfte, nachdem er/sie herausgefunden hat, wie gut Ihnen das Spiel gefällt

Grand Slam: Gewinn der vier größten Turniere: Masters, U.S.-Open, British Open und PGA-Championship

Greenfee: Der Preis für eine Golfrunde

Groove: Rille in der Schlagfläche

Grün: Die Rasenfläche mit sehr kurzem Gras, auf der man puttet

H

Hacker: So bezeichnet man einen schlechten Spieler.

Hindernis: Kann aus Wasser oder aus Sand errichtet sein (Teich oder Bunker)

Hole out: Fertigspielen eines Lochs

Hook: Ball, der eine starke Linkskurve macht

I

Im Spiel: Innerhalb der Grenzen des Platzes (nicht out-of-bounds)

K

Kurzes Spiel: So nennt man Schläge auf dem Grün und um das Grün herum.

L

Lay-up: Konservativ gespielter Schlag, um Gefahren zu umgehen

Lesen des Grüns: Den Weg bestimmen, auf dem der Ball zum Loch rollen wird

Linie: Der Weg des Balls zum Loch

Loch: Ihr ultimatives Ziel im Grün

Lochspiel: Wettspiel zwischen zwei Mannschaften. Die Seite, die die meisten Löcher gewinnt, ist Sieger.

Luftschlag: Ihr Schwung verfehlt den Ball. Geben Sie dem Radar eines UFOs die Schuld.

M

Marker: Siehe Ballmarker. Auch die Person, die den Score notiert

Mulligan: Zweiter Schlagversuch, gewöhnlich nur am ersten Abschlag. Das ist nicht erlaubt!

N

Nassau: Spiel um Geld; der Einsatz gilt jeweils für die ersten Neun, die zweiten Neun und die volle Runde.

Neunzehntes Loch: Die Bar im Clubhaus

O

Out-of-bounds (O.B.): Das Gelände außerhalb der Grenzen des Golfplatzes. Es wird gewöhnlich mit weißen Pfosten markiert.

p

Par: Score, den ein guter Spieler an einem Loch oder auf einer Runde erzielen sollte

Pin placement: Die Lage der Löcher auf dem Grün

Pitch: Ein kurzer, hoher Annäherungsschlag. Rollt bei der Landung nicht sehr weit

Pro-Shop: Ort, an dem Sie sich anmelden und wo Sie Bälle, Schläger und so weiter kaufen können

R

Rabbit: Anfänger

Rechen: Zum Glätten des Sandes

Rough: Längeres Gras entlang des Fairways

Rückputt: Der Putt, nachdem der erste Versuch hinter dem Loch gelandet ist

Run: Strecke, die der Ball nach der Landung rollt

S

Sandhindernis: Ein Bunker

Schenken: Dem Gegner auf privaten Runden einen Putt, ein Loch oder das Match schenken

Slice: Schlag, bei dem der Ball eine Rechtskurve macht

Stiff: Wenig biegsamer Schaft

T

Tee: Holzstäbchen, auf das der Ball für den Abschlag gelegt wird. Auch der Bereich mit den Abschlagmarkierungen

Toppen: Den Ball in seiner oberen Hälfte treffen

Triple Bogey: Score von drei Schlägen über Par an einem Loch

Turn: Der Weg vom neunten Grün zum zehnten Abschlag

U

Übers Grün schlagen: Der Ball hat so viel Schwung, dass er hinter dem Grün landet

Unspielbare Lage: Sie können den Ball nicht schlagen. Ein Strafschlag ist der Dank.

W

Wadenbeißer: Kurzer, sehr wichtiger Putt

Waggle: Bewegung des Schlägerkopfes vor dem Rückschwung

Wasserhindernis: Feuchte Gegend, kostet Sie einen Schlag, wieder herauszukommen

Wedge: Ein Eisen mit stark geneigter Schlagfläche, das man zum Pitchen verwendet

Wintergrün: Um das normale Grün zu schonen, wird im Winter dieses Grün angespielt.

Wurmpreller: Wenn ein Ball so schlecht geschlagen wird, dass er sich nicht vom Boden erhebt.

Y

Yips: Ein leichtes bis stärkeres Zittern, weshalb der unglückliche Betroffene keinen lockeren Puttschlag mehr ausführen kann. Der Kopf des Putters scheint ein Eigenleben zu führen, und dem Ball werden lediglich kleine, ruckartige Stöße versetzt.

Z

Zeitweiliges Wasser: Vorübergehende Wasseransammlung, die nicht als Wasserhindernis angelegt ist. Sie können Ihren Ball ohne Strafschlag herausholen.

Zocker: Spieler, der mit Golf seinen Lebensunterhalt verdient. Spielt besser, als er vorgibt.

Alles über Ihren Sport